Schulausgabe

TINO

Meine beste Freundin

Mit Bildern von Silke Voigt

Ravensburger Buchverlag

Bibliografische Information der Deutschen Nationalbibliothek:

Die Deutsche Nationalbibliothek verzeichnet diese Publikation
in der Deutschen Nationalbibliografie.
Detaillierte bibliografische Daten sind im Internet
über **http://dnb.d-nb.de** abrufbar.

10 11 12 13 E D C B A

Ravensburger Leserabe

Postfach 18 60, 88188 Ravensburg
Umschlagbild: Silke Voigt
Umschlagkonzeption: Sabine Reddig
Redaktion: Sabine Schuler
Printed in Germany
ISBN 978-3-473-38073-2

www.ravensburger.de
www.leserabe.de

Inhalt

Alexandra ist die Beste

Alexandra ist die Schnellste.
Alexandra ist die Beste.
Alexandra ist die Größte.
Alexandra ist ein Albtraum.
Zumindest für Lea.
„Alex! Alex! Alex!“,
rufen die Mädchen im Chor,
während Alexandra
durch das Schwimmbecken krault.

„Bestzeit! Ausgezeichnet!“,
ruft Frau Heck,
als Alexandra mit den Händen
am Beckenrand anschlägt.
Mit Schwung zieht sich Alexandra
aus dem Wasser.

Frau Heck klopft Alexandra
anerkennend auf die Schulter.
Die Kinder johlen
vor Begeisterung.
Frau Heck ist die Schwimmlehrerin
von Alexandra, Lea
und den anderen Mädchen.
Sie hält große Stücke
auf Alexandra.
Sie ist ihre beste Schwimmerin.
Alexandra lächelt überlegen.
So wie gewisse Sieger lächeln.
Solche Sieger,
die sich für etwas Besseres halten.

Ohne Lea anzusehen,
geht Alex an ihr vorüber.
Dabei schüttelt sie das Wasser
aus ihren Haaren.
Das ist kein Zufall,
das ist Absicht.
Lea weicht zurück.
„Ach, stimmt,
du bist ja wasserscheu“,
sagt Alex spöttisch.

Die anderen Mädchen
umringen Alexandra.
Sie drängen Lea zur Seite.
Nun steht Lea abseits.
Ganz allein.
Lea ist nicht neidisch,
weil Alex schneller ist als sie.
Aber sie kann Alexandras
Angeberei nicht leiden.
Die anderen Mädchen springen
wie kleine Hunde
um Alex herum.
Das kann Lea auch nicht leiden.

Lea und Lara

Nur Lara ist anders.
Lara ist Leas beste Freundin.
Lara wartet,
bis die anderen Mädchen
fertig sind.
Dann gratuliert sie Alex
zu ihrem Sieg.
Dann geht Lara zu Lea.
Lara lächelt Lea an.
Lea lächelt Lara an.

Lea und Lara verstehen sich
ohne viele Worte.
Sie haben das gleiche Hobby.
Nicht den Schwimmverein.
Da sind sie nur wegen der Eltern.
„Hält fit“, sagen Leas Eltern.
„Ist gesund“, sagen Laras Eltern.
Von wegen!
Immer brennt das blöde Chlor
in den Augen.
Und dann
diese doofen Wettkämpfe,
bei denen man Wasser schluckt.
Nur weil jemand
der Erste sein will.
So ein Blödsinn.

Lea würde lieber mit Lara
im Wasser herumplanschen.
Spielen und Spaß haben.
Und was noch besser wäre:
Delfine beobachten.
Aber im Schwimmbad
geht das natürlich nicht.
Schade.

Wie schön wäre es,
mit einem Delfin
durch das Wasser zu gleiten.
Einem Delfin ist es egal,
wer als Erster ins Ziel kommt.
„Ich habe ein neues Delfinbuch“,
sagt Lea zu Lara.
„Willst du es dir später ansehen?“
Lara ist begeistert.
Was für eine Frage. Natürlich!

Da trillert Frau Heck
mit der Pfeife.
Ein schreckliches Geräusch.
„Wettkampf, Kinder!“, ruft sie
und klatscht in die Hände.
„Wetttauchen!“,
ruft sie durch die Schwimmhalle.
„Die Erste ist die Beste!“
Nicht schon wieder!
Lea und Lara rollen mit den Augen.

Alex steht schon ungeduldig
auf dem Startblock
mit der Nummer Eins.
Sie freut sich,
den anderen wieder zu beweisen,
dass sie die Beste ist.
„Na, kommt schon,
ihr beiden Omas!“,
ruft sie Lea und Lara zu.
„Beeilung!“
Die anderen Mädchen lachen.

Lea verzieht den Mund.
„Blöde Kuh!“, sagt sie leise.
Lara nickt zustimmend.
Sie zuckt mit den Schultern.

„Hopp! Hopp!“, ruft Frau Heck.
„Die Siegerin darf
zuerst unter die Dusche!“
„Strengt euch an!“
Lara folgt Lea lächelnd.
Große Lust zum Wetttauchen
hat sie auch nicht.
Aber Alex, die Angeberin,
nimmt sie nicht ernst.
„Wer mich beleidigt,
das bestimme ich selbst“,
hat sie einmal zu Lea gesagt.

Lea hat verstanden,
was sie damit meint.
Aber sie kann Alex
trotzdem nicht leiden.
Wenn Alex sie nur
in Frieden lassen würde.

Angespannt steht Lea
auf dem Startblock.
„Denk an das Delfinbuch“,
sagt Lara zu ihrer Freundin.
Aber Lea geht es nicht gut.
Vor Angst ist ihr richtig schlecht.
Das Wasser stinkt nach Chlor.
Sie stellt sich vor, wie sie
mit Armen und Beinen
gegen das Wasser
ankämpfen muss.
Ich werde verlieren, denkt Lea.

In Gedanken sieht sie
Alex' verächtlichen Blick vor sich.
„Na?", sagt dieser Blick.
„Na, wer ist die Größte, du Null?"

Ein schriller Pfiff ertönt.
Beinahe gleichzeitig
springen die Kinder ins Wasser.

Nur Lea hat ein wenig gezögert.
Sie ist die Letzte.
Platsch!, macht es, als Lea hart
auf dem Wasser aufkommt.
Autsch!, das hat wehgetan!
Das war ein Bauchplatscher.
Das passiert nur Anfängern –
oder Lea.
Zum Glück hat Alex
das nicht gesehen.
Alex ist schon weit voraus.
Sie taucht wie an einer Schnur
gezogen durch das Wasser.

Jetzt taucht auch Lea unter.
Sie hat die Augen geöffnet.
Schillernde Luftblasen
empfangen sie.
Wie schön das aussieht!
Aber eigentlich soll sie ja
wetttauchen.
Es würde Lea schon reichen,
wenn sie nicht die Letzte wäre.
Ach, wie sie
dieses blöde Spiel hasst!
Wie schön das Leben
doch sein könnte …

Der Delfin im Schwimmbad

Da geschieht etwas.
Nein, das kann nicht wahr sein!
Ein blauer Schatten im Wasser …
Der Schatten ist ein Delfin!
Das gibt es doch nicht, denkt Lea.
Ein Delfin im Schwimmbad!
Unglaublich.

Der Delfin scheint Lea
mit den Augen zu begrüßen.
Er lächelt, wie alle Delfine.
Der Delfin wirkt ruhig
und entspannt.
„Komm mit“, sagen seine Augen.
Ohne zu zögern, hält sich Lea
an der Flosse des Delfins fest.
Die Reise beginnt.

Der Delfin taucht
tiefer und tiefer.
Luftbläschen umquirlen Lea.
Die Farbe des Wassers
verwandelt sich von Stahlgrau
in Smaragdgrün.
Auch die Umgebung
verwandelt sich.

Die grauen Kacheln
am Beckengrund
sind verschwunden.
Dafür liegt überall
heller feiner Sand.
Lea sieht Korallen
und leere Schneckenhäuser.
Wasserpflanzen wiegen sich
sanft in der Strömung.

Plötzlich umgibt sie
ein Schwarm kleiner Fische.
Sie schimmern in allen Farben.
Neugierig betrachten die Fische
Lea und den Delfin.
Der Delfin zieht Lea weiter
in das unbekannte Blau.

Lea verliert das Gefühl
für die Zeit.
Merkwürdig, Lea kann
unter Wasser atmen.
Als hätte sie Kiemen
wie ein Fisch.

Träumt sie?
Das Schwimmbad,
Alex, die Angeberin,
der Wettkampf – alles ist weit weg.
Der Delfin sieht Lea an.
„Gefällt es dir hier?“,
fragen seine Augen.

Sie gleiten über den Meeresboden.
Alles ist still und friedlich.
Es ist, als würden sie
durch flüssiges Licht schwimmen.

Das Geschenk

Da sieht Lea
die glitzernde Muschel.
So eine schöne Muschel
hat sie noch nie gesehen.
Sie schimmert am Meeresgrund
wie ein kostbarer Schatz.
„Nimm sie mit“,
scheint der Delfin zu sagen.
Die schöne Muschel gleitet
in Leas Hand.

Der Delfin sieht Lea an.
„Wir müssen zurück“,
sagen seine Augen.
„Halte dich gut fest,
die Reise nach oben beginnt.“
Schnell steckt Lea die Muschel
in die Tasche ihres Badeanzugs.
Dann hält sie sich
mit beiden Händen
an der Flosse fest.

Lea und der Delfin
schwimmen nach oben.
Alles verändert sich wieder.
Der bunte Meeresgrund
verliert sich
im Grau der Kacheln.
Das Wasser ist nicht mehr salzig,
sondern es schmeckt nach Chlor.

Plötzlich ist der Delfin weg.
Verschwunden.
Unbemerkt hat er sich
davongemacht.
Prustend taucht Lea auf.
Ihre Lunge schmerzt.
Sie fühlt sich an,
als würde sie gleich bersten.
Mit letzter Kraft
schlagen ihre Hände
am Beckenrand an.

„Lea ist Erste!“, ruft Alex.
„Erste von hinten!“
Alle Mädchen lachen,
bis auf Lara,
Leas beste Freundin.
„Ach, lass die doch“, sagt Lara.
„Wer so etwas nötig hat,
ist doch ziemlich klein, oder?“
Eigentlich hat Lara Recht.
Aber irgendwie
wurmt es Lea doch,
dass Alexandra so gemein
zu ihr ist.

Lara hilft Lea aus dem Wasser.
Leas Zähne klappern.
Wie kalt es auf einmal ist.
Jetzt aber schnell
unter die warme Dusche.
Die Kinder rennen
in den Duschraum.
Nach dem Duschen
gehen die Mädchen
in die Umkleidekabinen.

Lea sagt noch nichts
von dem Abenteuer,
das sie erlebt hat.
Lea wartet,
bis alle Mädchen außer Lara
gegangen sind.
Dann sieht sie ihre beste Freundin
feierlich an.
„Du, Lara“, sagt sie,
„ich habe etwas Tolles erlebt.
Versprichst du mir,
dass du nicht lachst,
wenn ich es dir erzähle?“

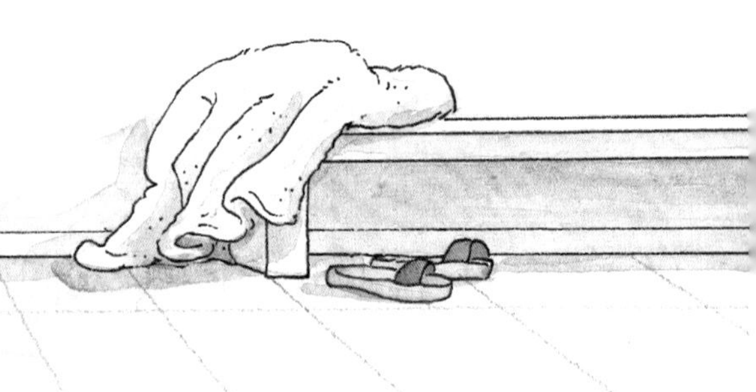

„Versprochen“, antwortet Lara.
Lea erzählt mit leuchtenden Augen
von dem Delfin,
der ihr unter Wasser begegnet ist.
Ob Lara ihr glaubt?
Mensch, da fällt Lea etwas ein!
In der Tasche ihres Badeanzugs
hat sie doch
die glitzernde Muschel,
die sie auf dem Meeresboden
gefunden hat.

Vorsichtig zieht Lea
die schöne Muschel heraus.
„Ich habe ein Geschenk für dich“,
sagt Lea zu Lara.
Sie legt ihrer besten Freundin
die schöne Muschel in die Hand.
Lara staunt.
Sie schnuppert an der Muschel.
Die Muschel riecht nach Meer.
„Danke für das tolle Geschenk“,
sagt Lara zu Lea.
„Du musst dich
bei dem Delfin bedanken“,
sagt Lea.

„Glaubst du, der Delfin nimmt mich auch einmal mit?“, fragt Lara.
Zuerst sagt Lea nichts.
Sie blickt Lara nur an.
Ihre Augen sagen: Bestimmt.
„Weißt du was“, sagt Lea.
„Ich glaube, der Delfin nimmt uns alle beide mit auf die Reise.
Wäre das nicht schön?“

TINO wurde 1962 geboren. Er machte eine Ausbildung zum Erzieher und studierte dann Sozialpädagogik. Seit 1990 ist er freiberuflich als Autor tätig. Manche seiner Bücher hat er auch selbst illustriert. Er wohnt mit seiner Frau und seinem Sohn Janik in der „Villa Wundertüte“ in der Nähe von Karlsruhe. Und wenn er nicht dort ist, reist er durch die Welt oder liest an Schulen aus seinen Büchern. Im Leseraben sind u. a. von ihm erschienen: „Die Hexe in der Badewanne“, „Feuerwehrgeschichten“ und „Mein Freund, der Delfin“.

Silke Voigt wurde in Halle an der Saale geboren. Sie hat zunächst an der Kunsthochschule Burg Giebichenstein in Halle und später in Münster Grafikdesign studiert. Seit 1996 arbeitet sie als freiberufliche Illustratorin. Für den Leseraben hat sie schon zahlreiche Bücher illustriert, darunter die „Pferdegeschichten“, „Timmi in der Hexenschule“ und die „Drachengeschichten“. Sie lebt mit ihrer Familie in Welver.

Leserätsel

mit dem Leseraben

Super, du hast das ganze Buch geschafft! Hast du die Geschichte ganz genau gelesen? Der Leserabe hat sich ein paar spannende Rätsel für echte Lese-Detektive ausgedacht. Mal sehen, ob du die Fragen beantworten kannst. Wenn nicht, lies einfach noch mal auf den Seiten nach. Wenn du die richtigen Antwortbuchstaben in die Kästchen auf Seite 42 eingesetzt hast, bekommst du das Lösungswort.

Fragen zur Geschichte

1. Warum kann Lea Alexandra nicht leiden? (Seite 8)

D: Weil sie immer so angibt.

K: Weil Alexandra schneller schwimmen kann als sie.

2. Warum verstehen sich Lea und Lara so gut? (Seite 10/11)

U: Sie finden beide den Schwimmverein toll.

E: Sie haben das gleiche Hobby: Sie mögen Delfine sehr.

3. Warum trillert Frau Heck mit ihrer Pfeife? (Seite 13)
   L : Die Mädchen sollen wetttauchen.
   M: Der Schwimmunterricht ist zu Ende.

4. Was erlebt Lea beim Tauchen? (Seite 22/23)
   F : Sie begegnet einem Delfin.
   S : Sie ist schneller als Alexandra.

5. Was findet Lea im Wasser? (Seite 30)
   O: Einen glänzenden Stein.
   I : Eine wunderschöne, glitzernde Muschel.

6. Was macht Lea mit der Muschel? (Seite 38)
   W: Sie zeigt sie der Schwimmlehrerin.
   N: Sie schenkt sie ihrer besten Freundin Lara.

Lösungswort:

1	2	3	4	5	6

Super, alles richtig gemacht! Jetzt wird es Zeit für die RABENPOST.
Schicke dem LESERABEN einfach eine Karte mit dem richtigen Lösungswort. Oder schreib eine E-Mail.
Wir verlosen jeden Monat 10 Buchpakete unter den Einsendern!

An den LESERABEN
RABENPOST
Postfach 20 07
88 190 Ravensburg
Deutschland

leserabe@ravensburger.de
Besuche mich doch mal auf meiner Webseite:
www.leserabe.de

Lesen lernen mit Spaß!

In drei Stufen vom Lesestarter zum Überflieger

ISBN 978-3-473-**36531**-9

ISBN 978-3-473-**36547**-0

ISBN 978-3-473-**36548**-7

ISBN 978-3-473-**36534**-0

ISBN 978-3-473-**36552**-4

2. Lesestufe

ISBN 978-3-473-**36550**-0

ISBN 978-3-473-**36480**-0

ISBN 978-3-473-**36509**-8

ISBN 978-3-473-**36536**-4

www.leserabe.de

ERZ_15_031

Ravensburger Bücher

Leserabe
Lies dich fit!

1. Lesestufe

ISBN 978-3-473-**36520**-3

ISBN 978-3-473-**36521**-0

ISBN 978-3-473-**36538**-8

ISBN 978-3-473-**36537**-1

2. Lesestufe

ISBN 978-3-473-**36523**-4

ISBN 978-3-473-**36522**-7

ISBN 978-3-473-**36539**-5

ISBN 978-3-473-**36540**-1

www.leserabe.de

Tägliches Lesetraining mit Stickerspaß